C'EST ICI QUE TOUT COMMENCE

Il faut lire les cases dans l'ordre des chiffres indiqués et, à l'intérieur de chaque case, suivre l'ordre alphabétique. Bonne lecture.

NOUS SOMMES D'ACCORD...
CECI SERVIRA DE COMPENSATION POUR L'EAU.

Chapitre 133 - Direction du voyage

tsubasa
RESERVoir CHRoNiCLE

PRINCESSE SAKURA, CELUI QUI A VOLÉ TA MÉMOIRE DES RUINES DU PAYS DE CLOW...
EST UN HOMME QUI S'APPELLE FEI-WAN LEAD.

EN FAIT...
SON BUT N'ÉTAIT PAS DE TE VOLER TA MÉMOIRE...

SA VÉRITABLE INTENTION...

ÉTAIT DE L'ÉPARPILLER DANS TOUTES LES DIMENSIONS.
MAIS POURQUOI ?
POUR RÉALISER SON VŒU.

ET POUR CELA, DEUX CHOSES ÉTAIENT NÉCESSAIRES.
LA PREMIÈRE ÉTANT QUE LES RUINES DE CLOW SOIENT ENFOUIES DANS LE SABLE...
ET LA SECONDE, QUE LA PRINCESSE SAKURA ERRE DE MONDE EN MONDE...
QU'ELLE VOYAGE À TRAVERS LES DIMENSIONS...
MAIS AUSSI À TRAVERS LE TEMPS.

SON BUT EST DE RÉCUPÉRER LA MÉMOIRE DE TOUTES CES DIMENSIONS.

LA MÉMOIRE ?

MAIS SAKURA DORMAIT PENDANT TOUT LE DÉBUT DU VOYAGE.
MAINTENANT, ELLE VA MIEUX, MAIS ELLE NE PEUT PAS SE RAPPELER DE CE QU'IL SE PASSAIT QUAND ELLE DORMAIT.
CE QUI INTÉRESSE FEI-WAN, CE N'EST PAS SA MÉMOIRE EN TANT QUE TELLE.
MAIS LA MÉMOIRE QUI EST GRAVÉE DANS SON CORPS.

CHAQUE DIMENSION VISITÉE EST DÉFINITIVEMENT MÉMORISÉE DANS SON CORPS...
C'EST CE POUVOIR QUI LUI DONNE LA FORCE DE CHANGER LE MONDE.

C'EST POURQUOI FEI-WAN A TRANSFORMÉ LA MÉMOIRE DE SAKURA EN PLUMES...
ET LES A ÉPARPILLÉES DANS TOUTES LES DIMENSIONS.
TOUT CELA, DANS LE BUT DE TE FAIRE VOYAGER.
IL A COMMENCÉ PAR KIDNAPPER SHAOLAN PARCE QU'IL ÉTAIT AU COURANT DE SES PROJETS.
IL A ENSUITE FABRIQUÉ UN AUTRE SHAOLAN PROGRAMMÉ POUR RETROUVER LES PLUMES.

ÍL A AUSSÍ TUÉ LA MÈRE DE KUROGANÉ...
ET DÉTRUÍT SON PAYS.

QUEL RAPPORT Y A-T-ÍL ENTRE TOUT ÇA ?

SON BUT ÉTAIT QUE TU QUITTES TA PROVINCE ET QUE TU DEVIENNES NINJA...
ET QUE TU SOIS AU SERVICE DE LA PRINCESSE TOMOYO EN ATTEN-DANT TON VOYAGE INTERDIMEN-SIONNEL.
CAR DANS LE PAYS DU JAPON, SEULE LA PRINCESSE TOMOYO EST CAPABLE D'ENVOYER QUELQU'UN DANS UNE AUTRE DIMENSION.
J'AI DÉCIDÉ DE MON PROPRE CHEF DE ME METTRE AU SERVICE DE LA PRINCESSE TOMOYO !

OUI...
C'EST AUSSI CE QUE PENSAIT LA PRINCESSE TOMOYO...
C'EST POUR CELA QU'ELLE T'A ENVOYÉ DANS UNE AUTRE DIMENSION ALORS QU'ELLE CONNAISSAIT LES PLANS DE FEI-WAN.

FYE... C'EST LA MÊME CHOSE POUR TOI.
TU AS COMPRIS MAINTE-NANT ?
CE QUI ÉTAIT VRAI ET CE QUI ÉTAIT FAUX ?

JE VEUX MOURIR.

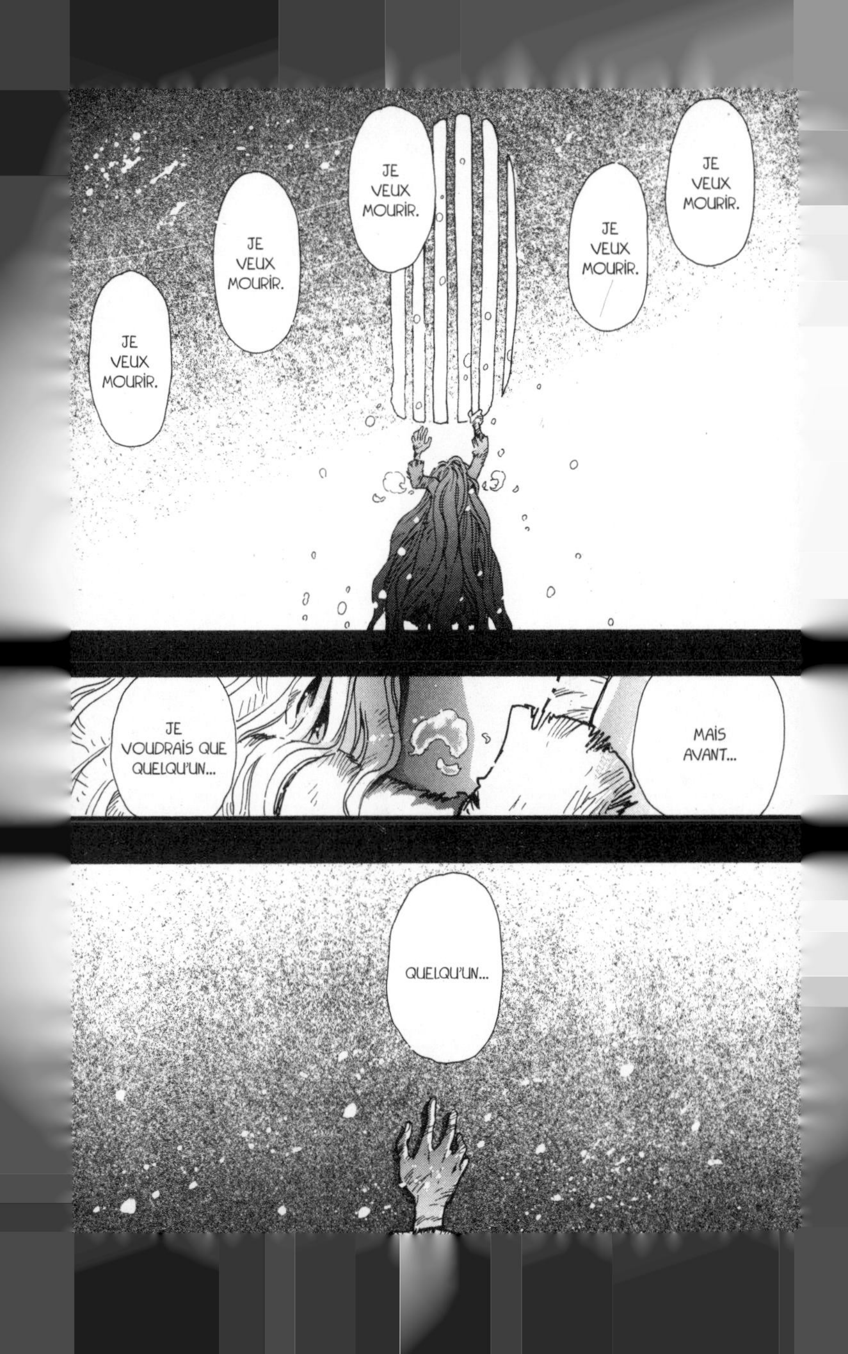
JE VEUX MOURIR.
JE VEUX MOURIR.
JE VEUX MOURIR.
JE VEUX MOURIR.
JE VEUX MOURIR.
MAIS AVANT...
JE VOUDRAIS QUE QUELQU'UN...
QUELQU'UN...

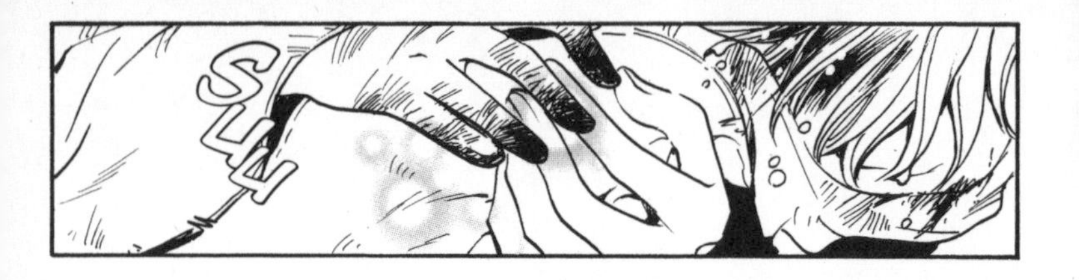
SLL

GYUU

POUR ÊTRE SÛR QUE SAKURA PUISSE TRAVERSER LES DIMENSIONS EN SÉCURITÉ, IL VOUS A CHOISIS...
L'AUTRE SHAOLAN...
KURO-GANÉ...
ET FYE...
IL VOUS A RÉUNIS...
POUR ACCOMPA-GNER SAKURA DANS SON VOYAGE.

ET MOKONA... ?
VOUS, LES DEUX MOKONA...
C'EST UN AUTRE MAGICIEN, DU NOM DE CLOW-LEAD, ET MOI-MÊME QUI VOUS AVONS CRÉÉS.
CLOW...
C'EST LE NOM DE MON PÈRE...

POUR CONTRE-CARRER LES PLANS DE FEI-WAN LEAD.
ET AUSSI...

POUR VOTRE FUTUR À TOUS LES DEUX.

NE T'INQUIÈTE PAS...

TOI...
ET D'AUTRES PERSONNES QUI TIENNENT À LUI ONT PAYÉ POUR QU'IL SURVIVE.

MERCI...
MAIS, BON SANG, QUE VOULAIT-IL FAIRE DE CES RUINES ET DE LA MÉMOIRE DE SAKURA ?

IL VEUT LE POUVOIR DE TRAVERSER LES DIMENSIONS.
ET CELUI DE CONTRÔLER L'ESPACE ET LE TEMPS.
ET QUE VEUT-IL FAIRE AVEC CE POUVOIR ?

CELA, JE NE PEUX PAS VOUS LE DIRE...

EN TOUT CAS...
LE VŒU QU'IL SOUHAITE VOIR SE RÉALISER...

TOUT LE MONDE L'A DÉJÀ FAIT...
MAIS PERSONNE N'A JAMAIS ÉTÉ EXAUCÉ.

JE NE VOUS EN DIRAI PAS PLUS POUR LE MOMENT.
JE NE PEUX PAS INTERFÉRER AU-DELÀ D'UN CERTAIN NIVEAU.

COMMENT ÇA, INTER-FÉRER ?

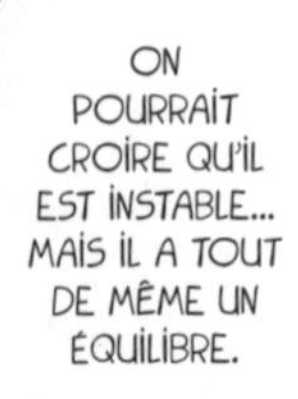
L'UNIVERS SEMBLE CHAOTIQUE ET DÉSOR-DONNÉ...
ON POURRAIT CROIRE QU'IL EST INSTABLE... MAIS IL A TOUT DE MÊME UN ÉQUILIBRE.

ET SI CET ÉQUILIBRE EST RENVERSÉ, TOUT VA S'EFFONDRER...
VOTRE VOYAGE FORCÉ PAR FEI-WAN A DÉJÀ CAUSÉ QUELQUES DÉGÂTS.
VOUS AVEZ MODIFIÉ LE PASSÉ DE CERTAINS MONDES, COMME LE PAYS DE SHARA, PAR EXEMPLE.

POUR-
TANT...
IL Y A TOUJOURS UN SENS AUX CHOSES QUI NAISSENT DU CHAOS.
CAR TOUT EST INÉLUC-TABLE.

tsubasa
RESERVoir CHRoNiCLE

Chapitre 134 - L'unique

...

VOTRE RENCONTRE ET VOTRE PÉRIPLE...
ÉTAIENT UNE MISE EN SCÈNE.
MAIS ENSUITE, C'EST VOUS-MÊME QUI AVEZ CHOISI VOTRE CHEMIN.

IL Y A CEUX QUI SAVENT CE QU'ILS VEULENT...
ET CEUX QUI SE LAISSENT PORTER...
MAIS DANS LES DEUX CAS, C'EST UN CHOIX QUE CHACUN A FAIT.

C'EST VRAI QU'IL Y A DES CHOSES QUI ONT DISPARU...
MAIS IL Y A AUSSI DES CHOSES QUI SONT APPARUES...
C'EST POURQUOI VOUS AVEZ ENCORE LA POSSIBILITÉ DE CHOISIR LA ROUTE QUE VOUS VOULEZ SUIVRE.

GYUU
JE VEUX...

CONTI-NUER LE VOYAGE.

POUR RETROUVER...
MONSIEUR SHAOLAN.

SI TU CONTINUES LE VOYAGE POUR RETROUVER SHAOLAN, TU SUIVRAS EXACTEMENT LE PLAN DE FEI-WAN.
JE SAIS, MAIS J'IRAI QUAND MÊME.

POUR RENDRE SON ÂME À SHAO-LAN.

TU SERAIS D'ACCORD POUR QUE JE T'ACCOM-PAGNE ?

MON ŒIL GAUCHE EST DÉSORMAIS AVEC SHAOLAN...
LES MAGIES DE MÊME ORIGINE S'ATTIRENT... ÇA POURRA ÊTRE UTILE POUR LE RETROUVER.
EST-CE QUE C'EST VRAIMENT...
CE QUE VOUS VOULEZ, MONSIEUR FYE ?

DITES-VOUS CELA PARCE QUE J'AI DÉCIDÉ DE PARTIR ?
ÊTES-VOUS CERTAIN DE NE PAS AVOIR QUELQUE CHOSE D'AUTRE À FAIRE ?

NON, C'EST VRAIMENT CE QUE JE SOUHAITE.

JE NE CONNAIS PAS DE MAGIE DE GUÉRISON.
JE SUIS UN MAGICIEN, MAIS INCAPABLE DE SOIGNER TES BLESSURES.
M'ACCEPTES-TU QUAND MÊME À TES CÔTÉS ?
QUE VOUS PUISSIEZ FAIRE DE LA MAGIE OU NON...
VOUS ÊTES TOUJOURS MONSIEUR FYE.
SUU

ET VOUS,
VOUS ÊTES
MA SEULE
PRINCESSE.

MOKONA AUSSI VEUT VOYAGER !
ET TOI, KURO-GANÉ ?
JE RETOURNE AU PAYS DU JAPON.
MON BUT EST TOUJOURS LE MÊME...
ÎL Y A CEPENDANT QUELQUE CHOSE QUI A CHANGÉ.

J'AI COMPRIS QU'ON PEUT AVOIR PLUSIEURS OBJECTIFS DANS LA VIE.

MONSIEUR
KUROGANÉ...

ET PUIS...
IL Y A QUELQU'UN QUE J'AIMERAIS BIEN CROISER.

ET TOI... ?
SHAOLAN ?
J'AI QUELQUE CHOSE À RÉCUPÉRER.

PEUT-ÊTRE QU'IL EST DÉJÀ TROP TARD...
MAIS...

SI JE PEUX LA PROTÉ-GER...
JE LE FERAI.

JE VIENS AVEC VOUS.
TRÈS BIEN...

VOUS POUVEZ PARTIR...
ET RÉALISER VOS VŒUX.

tsubasa
RESERVoir CHRoNiCLE

Chapitre 135 - Des futurs entrecroisés

MERCI...
MERCI D'AVOIR SOIGNÉ SAKURA ET SES COMPAGNONS.

MALHEU-REUSEMENT, NOUS NE DISPOSIONS PAS DES MÉDICAMENTS NÉCESSAIRES POUR VOUS GUÉRIR COMPLÈTE-MENT.

EN PARTICU-LIER...

VOTRE JAMBE...

ET VOTRE ŒIL...

VOUS AVEZ FAIT BEAUCOUP POUR NOUS...
ET JE VOUS EN REMERCIE.
MERCI, KAMUI ! MERCI, SUBARU !
ZAAM
ET MERCI AUSSI FUMA !

PAS DE PRO-BLÈME...
JE N'AI RIEN FAIT DE PARTICULIER.

JE SUIS DÉSOLÉE POUR VOTRE BOUSSOLE.
CE N'EST PAS GRAVE.

C'EST YÛKO-SAN QUI M'AVAIT DEMANDÉ CETTE BOUSSOLE...
EN ÉTAT DE MARCHE OU NON...
EN COMPENSATION DU POUVOIR DE TRAVERSER LES DIMENSIONS, JE DOIS FOURNIR À YÛKO-SAN LES OBJETS QU'ELLE ME DEMANDE.
C'EST COMME SI JE PAYAIS EN PLUSIEURS FOIS.

* VOIR VOLUMES 7 ET 17.

NE T'EN FAIS PAS TROP...
D'AC-CORD ?
...
MERCI BEAUCOUP.
BIEN...
TU ES SÛRE DE VOULOIR FAIRE ÇA ?
OUI.

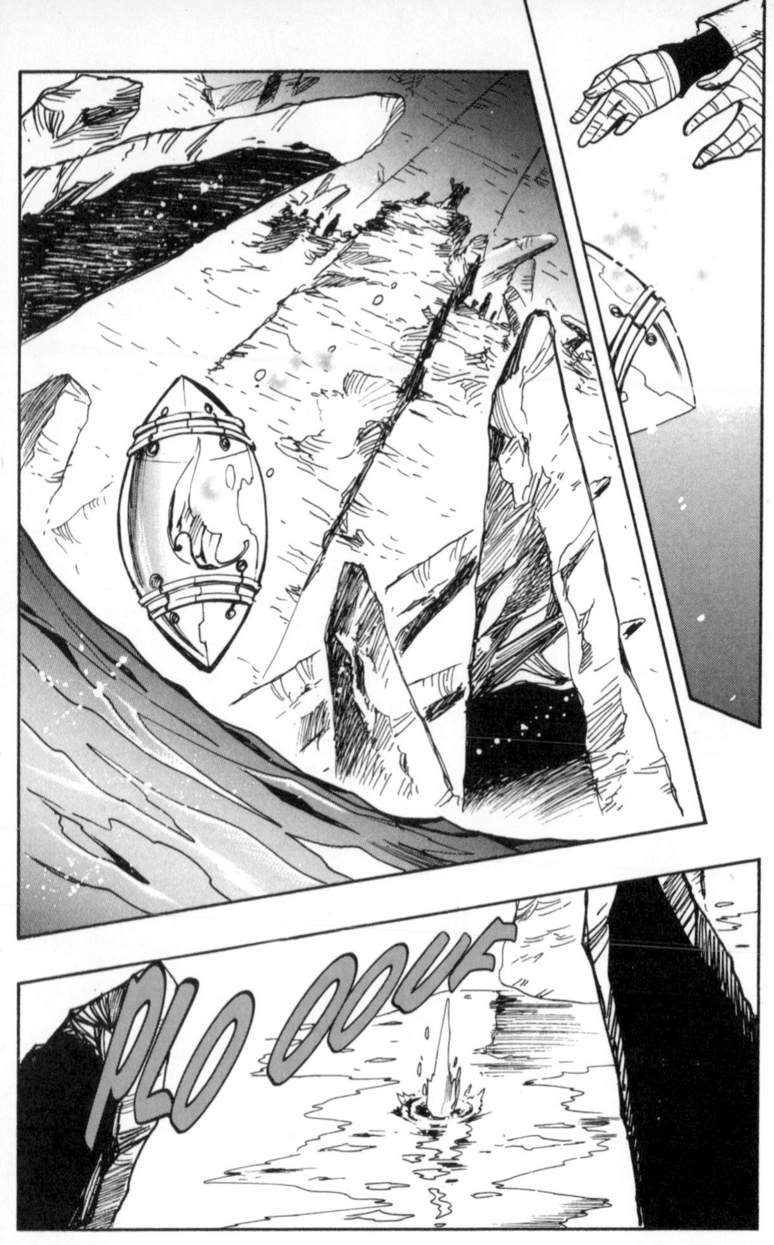
PLO OOUF

FUWAAA
VOUS PARTEZ DÉJÀ ?
ATTENDEZ AU MOINS D'ÊTRE COMPLÈTEMENT RÉTABLI.
FLAAASH
GYUU

ON VA S'EN SORTIR...
ET UN JOUR, ON VOUS RENDRA CE QUE VOUS NOUS AVEZ OFFERT.
CE SERA POUR LA PROCHAINE FOIS QUE VOUS VIENDREZ.

oui...

BLUP
BLUP

MOKONA ET LES AUTRES SONT PARTIS POUR UNE AUTRE DIMENSION.
OUI...
ET CET ŒUF, QUE COMPTES-TU EN FAIRE, YÛKO ?
SLU
JE VAIS LE PURIFIER AVANT DE LE DONNER.

POUR QUE CES DEUX AVENIRS...
NE DISPARAISSENT PAS.
FINALEMENT, AVANT QUE JE N'INTER-VIENNE...
TON PLAN MARCHAIT TROP BIEN. C'EN ÉTAIT PRESQUE ENNUYEUX...
N'EST-CE PAS, FEI-WAN LEAD ?
TZING

MAIS...
MALGRÉ TOUT, C'EST EUX QUI ONT CHOISI LEUR ROUTE.
ILS SE SONT RENCONTRÉS ET ONT CHANGÉ...
AU COURS DE CE VOYAGE.

ON PEUT CHANGER LA VIE DES GENS, MAIS ON NE PEUT CHANGER LEUR ÂME.

TAC
ALORS, LE VOYAGE CONTINUE...

LE TRAVAIL QUE TU AS FAIT...
N'AURA DONC PAS ÉTÉ VAIN.

J'AI BESOIN QUE TU CONTINUES À RÉCUPÉRER LES PLUMES.

SHAOLAN
!

VWWW
BIP
BIP

Chapitre 136 - Les chevaliers de l'échiquier

REA-
DY...
?

GO
!
TRIIIT

TRIIIT
TCHING

CETTE FILLE ET SES PIONS SONT INCROYA-BLES...

ET POURTANT, CELA NE FAIT QUE TROIS MOIS QU'ILS SONT ARRIVÉS À INFINITY, LA PLUS GRANDE VILLE TOURISTIQUE AU MONDE.
CE SONT DES ÉTRANGERS... ON NE SAIT PAS D'OÙ ILS VIENNENT.

ILS FORMENT QUAND MÊME UNE SACRÉE ÉQUIPE...

LES TROIS PIONS SONT LOIN D'ÊTRE AMATEURS.
TU NE TROUVES PAS, EAGLE ?
LE PROFESSIONNEL DU COMBAT...
C'EST LUI, SANS AUCUN DOUTE.

ET LUI,
IL EST PLUTÔT
SPÉCIALISÉ DANS
LA DÉFENSE...
ON VOIT
QU'IL N'UTILISE PAS
SES TECHNIQUES
HABITUELLES DE
COMBAT.

PAREIL POUR LUI.
ON SENT QU'IL A APPRIS L'ART DU COMBAT.
ET QU'IL A EU UN TRÈS BON MAÎTRE.

DANS
TOUS LES CAS,
ILS SONT IMPRES-
SIONNANTS.

OUI...
ET
PUIS...

ZAAA
AA
IL Y A
BIEN SÛR
LA FORCE
DU MASTER.

CE JEU D'ÉCHECS EST PARTICULIER : ICI, LA FORCE ET LA VITESSE DES PIONS DÉPENDENT DU PSYCHISME DU MASTER.
SI LE MASTER EST FAIBLE, LES PIONS NE PEUVENT PAS DONNER LEUR MAXIMUM.

J'AI VU BEAUCOUP DE MAS-TERS...
MAIS C'EST LA PREMIÈRE FOIS QUE J'EN VOIS UN COMME ELLE...

BROOO
OOOOOO

...
SNIF
SNIF
SNIF
POUR-
QUOI
?
POUR-
QUOI...
?
SI
CETTE PLUME
N'AVAIT PAS
EXISTÉ...
IL NE
SERAIT PAS
VENU...

GYU
ET RIEN DE TOUT CELA NE SERAIT ARRIVÉ !

EST-CE QUE C'EST L'ARGENT DU GRAND PRIX, QUI LES POUSSE À PARTICIPER ?
C'EST LA FAMILLE VISION QUI ORGANISE CE TOURNOI...
ILS ONT PLUSIEURS ACTIVITÉS ET SONT TRÈS RICHES.

ET ILS SONT DE MÈCHE AVEC LA MAFIA.
IL NE VAUT MIEUX PAS LE CRIER SUR LES TOITS.
OUI, MAIS C'EST LA VÉRITÉ.
JE SUIS BIEN PLACÉ POUR LE SAVOIR, CAR JE SUIS À LA TÊTE DE CETTE FAMILLE.
ET VOUS, GÉO ET LANTIS, VOUS ÊTES MES BRAS DROITS.

LES TOURNOIS D'ÉCHECS SONT ORGANISÉS PAR LA BRANCHE MAFIEUSE DE LA FAMILLE VISION.
L'ARGENT DES PARIS N'EST PAS DÉCLARÉ.
ET, BIEN SÛR, IL Y A PARFOIS DES MORTS.
LES PIONS NE SONT PAS LES SEULS À RISQUER LEUR PEAU...
LE MASTER AUSSI PREND DES RISQUES.
SI LE MASTER PERD LE CONTRÔLE, LUI ET SES PIONS RISQUENT DE GRAVES BLESSURES.
POURQUOI COMBAT-ELLE EN SACHANT TOUT CELA ?
ET D'OÙ VIENT LA FORCE DE SON REGARD ?

J'AIMERAIS BIEN SAVOIR...
D'OÙ VIENT SA FORCE.

Chapitre 137 - Les soutiens de la princesse

Infinity
CLAC
BOING
PERSONNE N'EST BLESSÉ ?

SAKURA !
ÇA VA, SAKURA ?
MAIS OUI...
JE SUIS JUSTE FATIGUÉE.
JE T'ASSURE QUE ÇA VA...
SUU
ALORS...
NE PLEURE PAS.

...

ÏL VAUT MIEUX QUE TU TE REPOSES, AUJOUR-D'HUI.
MAÏS...

ON SAIT QU'IL Y A UNE PLUME DANS CE MONDE.
OUI, C'EST TRÈS FAIBLE, MAIS MOKONA LA SENT.

IL Y A UNE PLUME ICI.

ET SI SHAOLAN ARRIVE LUI AUSSI DANS CE MONDE...
JE LE SAURAI.
SI C'EST LE CAS, JE TE RÉVEILLERAI TOUT DE SUITE.

SAKURA-CHAN, IL FAUT ABSOLUMENT QUE TU TE REPOSES POUR LA PARTIE D'ÉCHECS DE DEMAIN.
TU AS DÉCIDÉ DE GAGNER LE TOURNOI POUR REMPORTER LE PRIX, N'EST-CE PAS ?
OUI...

AAAH
!!

BLAF

C'EST LUI !
C'EST LUI QUI A VOLÉ LA PLUME !
PAF
ET QUI A DÉTRUIT LE PAYS !

PAF
RENDS-NOUS NOTRE PAYS !
PAF
RENDS-NOUS CEUX QUE TU AS TUÉS !
PAF

VSAF
FWAAA

PARTONS DANS LE MONDE SUIVANT !
EUH... OUI !
FWAAA
EXCUSEZ-MOI !

FWAAA

EXCUSE-MOI !

GW

JE T'AC-
COMPAGNE
DANS TA
CHAMBRE.
CLAC

MÊME SI C'EST UNE COPIE DE TA PERSONNE...
VOUS ÊTES DIFFÉRENTS.

INUTILE D'AVOIR DES REMORDS POUR CE QUE TU N'AS PAS FAIT.
FAIS LES CHOSES À TA MANIÈRE.
CELA VAUT AUSSI POUR LA PRINCESSE !
HA

OUI, MAIS...
POUR LA PRINCESSE, LE VRAI SHAOLAN, CE N'EST PAS MOI...

QUAND ELLE SE JETTE DANS MES BRAS, CE N'EST PAS VRAIMENT DANS LES MIENS.
FROT
N'OUBLIE PAS CE QUE JE T'AI DIT...
FROT
FROT

LA PRINCESSE EST FORTE...
MAIS ELLE A AUSSI UN CÔTÉ FRAGILE...
IL FAUT QUE QUELQU'UN LUI FASSE COMPRENDRE...
LE PLUS VITE POSSIBLE.
ET CE N'EST PAS LE RÔLE DE NOTRE AMI MAGI-CIEN...
ILS SE RESSEMBLENT TROP.
SU
VA TE REPOSER, MAINTE-NANT.

CRI
oui...
TOI AUSSI, REPOSE-TOI BIEN.

oui...
CLAC

CLAC
SAKURA-CHAN EST ENDORMIE.
AVEC MOKONA...

VOUS VOULEZ BOIRE QUELQUE CHOSE ?
DE L'AL-COOL !
TRÈS BIEN...

TOI AUSSI, IL FAUT QUE TU BOIVES.

SI TU NE VEUX PAS, NE BOIS PAS...
MAIS LE SANG COULERA QUAND MÊME.
TRÈS BIEN, COMME TU VOUDRAS, KUROGANÉ.

OUI...
TU AS REMARQUÉ ?
QUELQU'UN NOUS SURVEILLE.

Chapitre 138 - La légende de la dynastie

PEUT-ÊTRE QUE C'EST NOTRE PROCHAIN ADVERSAIRE AUX ÉCHECS.
OU BIEN...
TING
CELUI QUI NOUS SURVEILLE DEPUIS LE DÉBUT DE NOTRE VOYAGE.

EN TOUT CAS...

JE NE LE LAISSERAI PAS S'EN PRENDRE À SAKURA.
...
SHH

TAC
IL FAIT NUIT, TU VAS PRENDRE FROID...
PÈRE...
JE REGARDAIS LA RUINE.

PEUT-ÊTRE QUE LÀ-DESSOUS, IL Y A DES CHOSES TRÈS IMPORTANTES POUR LE PAYS DE CLOW.
C'EST POUR ÇA QUE TOUT LE MONDE SE DONNE AUTANT DE MAL.
JE SAIS BIEN ÇA...
MAIS...
TU ES TRISTE QU'IL NE SOIT PAS PRÈS DE TOI ?
ROUGIT
OUI...

POURTANT, JE NE SUIS PLUS UNE PETITE FILLE, MAINTENANT...
QUEL QUE SOIT L'ÂGE QUE L'ON A...
C'EST TOUJOURS TRISTE D'ÊTRE LOIN DES GENS QU'ON AIME.
TU RESSENS LA MÊME CHOSE, PÈRE ?
BIEN SÛR !
ET...
SI CETTE PERSONNE EST LOIN DE MOI, J'ESPÈRE QU'ELLE EST HEUREUSE.

IL Y A QUELQU'UN QUE TU VOUDRAIS REVOIR ?
OUI, EN EFFET.
MAIS IL Y A DES CHOSES QUE JE DOIS FAIRE.
QUOI DONC ?
EST-CE QUE JE PEUX T'AIDER ?
TON SOURIRE ME SUFFIT.

TIENS !
CELUI QUE TU ATTENDAIS EST ARRIVÉ...
TU ÉTAIS DESTINÉ À LA RENCONTRER, MAIS TU NE PEUX PLUS LA VOIR.
MÊME EN TENDANT LE BRAS, TU NE POURRAS PAS LA TOUCHER.
PÈRE ?

SON IMAGE SE REFLÈTE DANS TES YEUX, MAIS TU NE LA VOIS PAS.
MÊME SI C'ÉTAIT TON CHOIX, C'EST DIFFICILE À SUPPORTER...
ET MALGRÉ TOUT, TU VEUX LA PROTÉGER, N'EST-CE PAS ?
QUAND TU AS PRIS UNE DÉCISION, TU T'Y TIENS.
TU AS HÉRITÉ ÇA DE TES ANCÊTRES.

EST-CE...
UN RÊVE ?
OU ALORS MES SOUVENIRS... ?
PÈRE...
À QUI PARLAIS-TU ?

ÇA SE PASSE COMME TU ME L'AVAIS DIT...
CLOW...
MAIS C'EST MA DÉCISION.

MÊME SI SA MÉMOIRE NE LUI REVIENT JAMAIS.
JE LA PROTÉGE-RAI QUAND MÊME.

SAKURA...

LE MATCH D'ÉCHECS D'AUJOUR-D'HUI...
SERA UN PEU PLUS DAN-GEREUX QU'À L'ORDINAIRE...

ON A AJOUTÉ DE NOUVELLES RÈGLES...
C'EST BIENTÔT FINI CES DISCOURS ?
QUAND EST-CE QU'ON COMMENCE ?
ZRARARARARARARARA

WOOD
WHOOOOOOO
HÉ BÉ !

C'EST PLUS SYMPA COMME ÇA, NON ?

ÇA DOIT FAIRE SUPER MAL, CES TRUCS-LÀ.

ON VA GAGNER...
C'EST SÛR.

REA-
DY...
?
ZAM

TCHAC
GO
!!
TCHAC

SUU
PAF

TAP

FIOOUU
TCHAC

ZAM

Chapitre 139 - La fille du labyrinthe

ZAM
LEURS ARMES LANCENT DES DÉCHARGES ÉLECTRIQUES.
POURTANT, C'EST INTERDIT !

C'EST DE LA TRICHE !
OUI...

MAIS, ÇA PLAÎT AUX SPECTA-TEURS.
MAIS...

À LA BASE, CE JEU EST UNDERGROUND.

FERMONS LES YEUX SUR LES PETITES ENTORSES AU RÈGLEMENT...

ÇA A TOUJOURS ÉTÉ COMME CELA.
EAGLE...

DAAA
DÉGAGE !
ZLASH
PSHHHOOU
ZAAA M
RHA...
HUUU

BAM
!!
SHAK
ZIOUUU
M

IL CHERCHE À ME BLESSER.
CLANG
DZUM
TREMBLOTE

TU ES ENGOURDI ?
TOI AUSSI ?

OUI...
TZUINK
TAK

C'EST
EN PARTIE
À CAUSE DE
CES SORTES
D'INSECTES...
MAIS
C'EST
AUSSI
PARCE
QUE...
SAKURA-
CHAN
HÉSITE...

QUAND LE MAÎTRE HÉSITE, LES PIÈCES NE PEUVENT PLUS BOUGER...
ÇA DEVIENT TROP DANGEREUX ! IL FAUT ARRÊTER LA PARTIE !
LANTIS, ARRÊTE ÇA !
LES ÉCHECS CONTINUENT.
...

JE NE VEUX PLUS VOIR DES GENS MOURIR POUR CE JEU.

ZAAM
SHUN
QUE LA PARTIE CONTINUE !
SHUU

UN JEU D'ÉCHECS AVEC DES HUMAINS ?
LES VAINQUEURS REMPORTENT BEAUCOUP D'ARGENT.
TON VŒU, C'EST QUE CET ARGENT SERVE À RECONSTRUIRE LE PAYS DÉTRUIT.
TU VEUX QUE JE FASSE UELQUE CHOSE D'UTILE POUR CE PAYS, EN CHANGE DE CET ARGENT ?

JE CONNAIS LE PAYS OÙ VOUS ÊTES ACTUELLEMENT...
IL EST TENU PAR LA MAFIA ET IL EST RÉPUTÉ TRÈS DANGEREUX.
TU EN AS BIEN CONSCIENCE ?
OUI...

TOI AUSSI...
SHAOLAN ?

OUI.

TRÈS BIEN...
DÈS QUE TU AURAS L'ARGENT...
J'EXAUCERAI TON VŒU.

GUUU
ATTENDEZ !
!!

ON DOIT GAGNER !
DONC... ON VA GAGNER !

BIP BIP
DAM
KLANG

DZI !
ILS ATTA-QUENT !
DAM
BIP BIP
WUUU

PAF
PAF
IL A DU SANG DANS L'ŒIL !
FLOU
SUUU
HYUUU
FIOU
SUUU
HYUUU
SUUU

BAM

tsubasa
RESERVoir·CHRoNiCLE

Chapitre 140 - Victoire sans triomphe

OUF
TAP
TAP

ÉCHEC
ET MAT
!
ZAM
LES
NOIRS...
SONT
VAINQUEURS
!

C'EST MOI QUI AI APPRIS CETTE TECHNIQUE À SHAOLAN.
IL A ASSIMILÉ TOUT CE QUE L'AUTRE SHAOLAN CONNAÎT.
C'EST COMME S'ILS AVAIENT VÉCU LE MÊME DESTIN...
LIÉS PAR CET OEIL.
SHU

ÌLS ONT VAINCU...
MAÌS ÌLS N'ONT PAS L'AIR CONTENTS DE CETTE VÌCTOÌRE.
BAH... C'EST AÌNSÌ.
ON NE DEVRAÌT PAS PRÉVENÌR GEO ?
NON, ÇA LE METTRAÌT ENCORE PLUS EN COLÈRE.

BIEN...
S'ILS CONTINUENT COMME ÇA, ILS VONT SE RETROUVER EN FINALE.
IL EST TEMPS...
DE LA RÉVEILLER.

TOK
KURO-
GANÉ...

SWIP

TU ES SÛR DE VOULOIR BOIRE DE L'ALCOOL ?
SI MON AUTRE MOI PEUT BOIRE, ALORS...

JE TE DEMANDE SI, TOI, TU TIENS L'ALCOOL.

JE N'EN SAIS RIEN.

GUH

PO
OP
CROIC
VOUI !
MOKONA VEUT SAVOIR SI SHAOLAN VA ÊTRE SAOUL !

BOING
BUVONS !

TU BOIS AU GOULOT, TOI ?
BEN, KURO-GANÉ...
BIEN SÛR QUE OUI ! ♥

RENDS-MOI ÇA !
NAN ! ♥

MERCI...
JE LE SAIS...

JE SAIS BIEN QUE CE N'EST PAS MONSIEUR SHAOLAN...
JE SAIS BIEN QUE C'EST UN CLONE. C'EST UN PEU COMME LES GENS QU'ON A CROISÉS DANS TOUTES CES DIMENSIONS.
ILS ONT LA MÊME APPARENCE ET POURTANT CE NE SONT PAS LES MÊMES... ILS SONT DIFFÉRENTS...

MAIS...
JE N'Y ARRIVE PAS...

IL N'Y A PAS QUE L'APPARENCE...
IL Y A AUSSI LA VOIX...
LA FAÇON DE BOUGER...
CE REGARD DROIT...
À CHAQUE FOIS...
QUE JE LE VOIS...
RIEN N'Y FAIT...
JE N'Y ARRIVE PAS...

POUR-QUOI...
CHAQUE FOIS QU'IL EST DEVANT MOI...
JE REGRETTE QU'IL NE SOIT PAS SHAOLAN...

SAKURA-
CHAN...

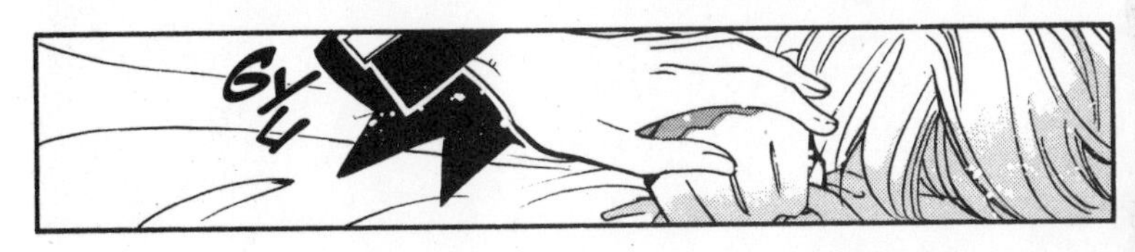
GYU

HA

FYE...
TCHII
!

FYE...
LE ROI...

IL S'EST RÉVEILLÉ !

À suivre...

Titre original :
TSUBASA, vol. 18

First published in Japan
in 2007 by Kodansha Ltd., Tokyo.
Publication rights for this French edition
arranged through Kodansha Ltd., Tokyo.

French translation rights : Pika Édition

Traduction et adaptation :
Suzuka Asaoka et Alex Pilot
Création de charte graphique : Brigitte Dubois

ISBN : 978-2-84599-885-8
Dépôt légal : juin 2008
Imprimé en Allemagne par GGP Media GmbH, Pößneck

Diffusion : Hachette Livre

ATTENTION !

Ceci est la dernière page
du dix-huitième épisode de TSUBASA.
Pour lire le début de ce volume,
il faut retourner le livre.

Une petite explication vous donnera
le mode d'emploi du sens de lecture,
fidèle à l'original, de droite à gauche.